© 2012, l'école des loisirs, Paris
Loi numéro 49 956 du 16 juillet 1949 sur les publications
destinées à la jeunesse : octobre 2012
Dépôt légal : octobre 2012
Imprimé en France par Pollina - L61196
ISBN 978-2-211-21109-3

Catharina Valckx

CHEVAL FOU

l'école des loisirs
11, rue de Sèvres, Paris 6ᵉ

« Papa », demande Billy un matin,
« est-ce que tu connais un Indien ? »
« Un Indien ? Non », répond son père.
« Les Indiens habitent de l'autre côté de la montagne.
Un hamster cow-boy n'a rien à faire là-bas. »

Billy va trouver son ami Jean-Claude, le ver de terre.

«Jean-Claude, tu viens avec moi chez les Indiens?

Ils habitent de l'autre côté de la montagne. »

Jean-Claude hésite.

«J'aimerais bien », dit-il, «mais c'est trop loin pour moi. »

«Je te porterai », dit Billy. «Si toi tu portes la bouteille d'eau. »

«Alors d'accord », dit Jean-Claude.

Mais la route est longue et la montagne est haute.
Arrivé à la maison de Barbichette, Billy ne peut plus
faire un pas de plus, tellement il est fatigué.

Curieuse, Barbichette sort de sa maison.
« Qu'est-ce que vous faites par ici, les enfants ? »
« Nous voulons voir les Indiens », dit Billy. « Mais c'est trop loin. »
« Oh, mais vous êtes presque arrivés ! » dit Barbichette.
« Je vais vous aider pour le dernier bout de chemin. »

Et Barbichette porte Billy, qui porte Jean-Claude, qui porte la bouteille d'eau.

En haut de la montagne, la vue est grandiose,

mais ils ne voient aucun Indien nulle part.

Barbichette a une idée. D'abord ils doivent allumer un feu.
« Les Indiens se parlent avec des signaux de fumée »,
explique Barbichette.
Elle a l'air de s'y connaître. Elle jette l'herbe sur le feu
pour faire beaucoup de fumée.
« Billy, aide-moi à tenir mon châle. »

« Voilà. Regardez. Je fais trois petits nuages. Ça veut dire :
Venez, nous sommes des amis. Les Indiens vont les voir de loin
et ils viendront vers nous. »

«Maintenant, il faut juste un peu de patience», dit Barbichette.
Ils attendent. Billy croit entendre un bruit, mais non.

Le silence s'installe.

« Ils vont venir ? » chuchote Jean-Claude. « Tu n'as pas un peu peur ? »

Mais Billy n'a pas le temps de répondre, car soudain
FFFFVVVVVOUIT !

Une flèche venue de nulle part transperce son chapeau.
«Ooooh!» crie Jean-Claude, et il s'évanouit.

Vite, Billy traîne Jean-Claude à l'abri.
« Arrêtez ! Ne tirez pas !! » crie Barbichette.
Un Indien surgit de derrière les buissons.
« Comment ça, ne tirez pas ? » dit-il. « Mais madame,
vous avez fait trois nuages ! Ça veut dire *Au secours !*
Je pensais que le cow-boy vous voulait du mal, moi ! »

«Oups», fait Barbichette, «je me suis trompée.
Je voulais faire le signal de l'amitié.»
«Ah. Eh bien, vous avez tout faux», dit l'Indien.
«Pour l'amitié, il faut faire *deux* nuages. Pas trois.»

«Je suis encore vivant», dit Billy, «mais regardez
Jean-Claude! Il est à moitié mort!»
L'Indien s'approche.
«Pauvre petit», dit-il. «Il s'est évanoui de peur.»

« Évanoui ? » dit Billy. « Tu crois ?
Passe-moi la bouteille d'eau. »

Jean-Claude ouvre les yeux.

«Un Indien!» crie-t-il, terrifié, et il manque
de s'évanouir à nouveau.

«Ne t'inquiète pas», dit l'Indien, «je suis un ami.
Je m'appelle Moineau Tranquille.»

«Moineau Tranquille? Drôle de nom pour un coyote»,
remarque Billy.

«On m'appelle comme ça parce que je me cache
dans les buissons, comme les moineaux, mais sans
faire de bruit», explique Moineau Tranquille.

«Moi, c'est Jean-Claude», dit Jean-Claude,
d'une petite voix. «Parce que j'ai un grand-père
qui s'appelle Jean et l'autre qui s'appelle Claude.»

Pour se faire pardonner de lui avoir fait si peur,
Moineau Tranquille veut faire un cadeau à Jean-Claude.
Barbichette éteint le feu et ils suivent Moineau Tranquille
jusqu'à son tipi.

Moineau Tranquille offre à Jean-Claude un cadeau de grande valeur :
une plume d'aigle.

« Voilà », dit Moineau Tranquille, « tu es un Indien, maintenant.

Il te faut un nom d'Indien. Que dirais-tu de… Petite Herbe au Vent ?

Parce que tu es si délicat ? »

Jean-Claude fait la moue.

« Je préférerais un nom plus… plus fort, comme, euh, Cheval Fou. »

« Bon. D'accord », dit Moineau Tranquille. « Tu t'appelles Cheval Fou. »

« Oui, eh bien, Cheval Fou, il va falloir rentrer », dit Billy.

« Sinon papa va m'attendre. »

Barbichette reste encore un peu avec Moineau Tranquille.

Il veut lui montrer comment faire de beaux signaux de fumée.

Billy et Jean-Claude prennent le chemin du retour.

« Je te porte, Cheval Fou ? » demande Billy en riant.

« Ou est-ce que tu préfères rentrer au galop ? »

« Très drôle », dit Jean-Claude.

«Papa», dit Billy en arrivant à la maison, «me revoilà !
Et regarde qui est avec moi !»
Son père se retourne.
«Un Indien !» s'écrie-t-il, stupéfait. «Comment est-ce que…?»
«Il s'appelle Cheval Fou», dit Billy. «Regarde-le bien,
il ne te fait pas penser à quelqu'un ?»
«Ça alors…. mais… c'est Jean-Claude !
Depuis quand es-tu un Indien, Jean-Claude ?»
«Depuis aujourd'hui.»

«On aura tout vu», dit le père.
«Tu aimes toujours les noisettes grillées, j'espère?»
«Ah ça oui», dit Jean-Claude.
«Regardez!» s'exclame soudain Billy, «là-bas, le signal de fumée!!»
«Ooooh!» s'écrie Jean-Claude…
Mais cette fois il ne s'évanouit pas, il avale juste un peu de travers,
tellement il est ému.